Thomas
Prince professionnel

Texte : Valérie Fontaine
Illustrations : Fil (sans Julie)

fonfon

Catalogage avant publication de
Bibliothèque et Archives nationales du Québec
et Bibliothèque et Archives Canada

Fontaine, Valérie, 1980-
Thomas, prince professionnel
(Collection Histoires de rire)
Pour enfants.

ISBN 978-2-923813-05-9

I. Fil, 1974- . II. Titre.
III. Collection : Collection Histoires de rire.

PS8611.O575T46 2011 jC843'.6 C2011-941686-7
PS9611.O575T46 2011

Direction littéraire : Emmanuelle Rousseau
Direction artistique et graphisme : Primeau Barey
Correction : Sophie Sainte-Marie
Révision d'épreuves : Isabelle Dowd
Dépôt légal : 3e trimestre 2011
Bibliothèque et Archives nationales du Québec
Bibliothèque et Archives Canada

Fonfon
Case postale 76575
Mtl CP Bélanger
Montréal (Québec) H1T 4C7
Téléphone : 514 704-8690
Courriel : info@editionsaf.com
www.editionsaf.com

Imprimé au Québec sur papier certifié FSC
de sources mixtes

À mon prince charmant, Hugo,
que j'aime profondément
À mon filleul, le doux Thomas aux yeux merveilleux !
Valérie

Pour le petit prince charmant de Sim et Marjo
Fil

Remerciements
À ma famille : mon amoureux Hugo, ma maman Denise,
mes sœurs Véro et Marie, et mon papa André au ciel,
merci d'être présents pour moi et de croire
en moi chaque minute de ma vie. Je vous adore.
Valérie

Thomas
Prince professionnel

Thomas est un prince professionnel.
Il sauve les princesses. Beaucoup de princesses.
De part et d'autre du continent,
tous les rois font appel à ses services lorsqu'une
de leurs filles est en danger.

Pourquoi Thomas est-il si populaire ?
Parce qu'il est différent de tous les autres princes.
Bien sûr, il sait combattre les dragons et grimper aux plus hautes tours, mais il offre une garantie que les autres princes ne proposent pas. Il promet de ne jamais tenter de séduire la princesse sauvée.
Ça fait partie du contrat.

Avant que Thomas n'ouvre son entreprise,
les rois étaient très malheureux. Ils en avaient assez de voir partir leurs filles avec le prince qui leur avait sauvé la vie.

Tout le monde sait que les papas royaux préfèrent garder leurs filles près d'eux le plus longtemps possible. Voilà pourquoi Thomas, avec sa promesse de faire un bon travail sans gagner le cœur des princesses sauvées, signe autant de contrats.

Les journées de Thomas sont remplies de rebondissements.
Son métier est très divertissant.

Le mois dernier, il a sauvé une princesse de justesse
avant qu'elle ne serve de repas à un dragon affamé.
Depuis, le dragon n'a que des framboises et des mûres
à se mettre sous la dent.

La semaine suivante, il a escaladé la plus
haute montagne du pays à dos d'âne pour aller libérer
une princesse prisonnière d'un ogre répugnant.

Au retour, l'âne terrifié ne voulait plus bouger.
Thomas a dû travailler très fort pour retourner au village.

Au cours de la même heure, il a dû embrasser
une princesse profondément endormie
pour la libérer du sort qu'une vieille sorcière
pleine de verrues lui avait jeté.

Hier, il a tué un aigle géant qui s'envolait avec une princesse effrayée dans ses serres. C'était la première fois que Thomas voyait une princesse tomber du ciel. Bien sûr, il l'a rattrapée avant qu'elle ne touche le sol !

Pour ne pas devenir amoureux, Thomas doit
prendre quelques précautions.

Il ne monte jamais sur le même cheval qu'une princesse.
Il préfère la placer dans un petit chariot à l'arrière.

S'il doit lui donner un baiser, il l'embrasse sur le petit orteil plutôt que sur la bouche. Thomas déteste les chaussures lacées jusqu'aux chevilles et les longs bas tissés. Ça complique les sauvetages. C'est sans parler des princesses aux pieds puants ! Il doit parfois se pincer le nez lorsqu'il s'approche du pied à embrasser.

S'il doit transporter la princesse, il ne la prend jamais dans ses bras. Il la porte sur son épaule.

Les rois sont toujours très contents de ses services, et sa renommée n'est plus à faire. À cause de Thomas, les autres princes sont sans travail et ne savent plus comment rencontrer des princesses.

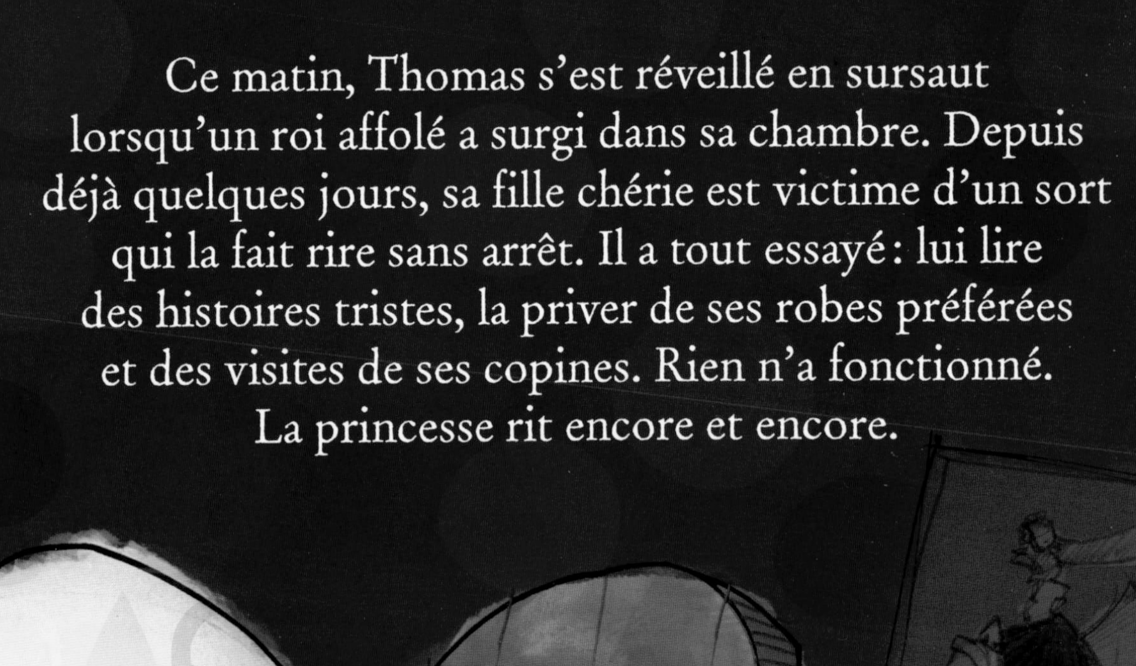

Ce matin, Thomas s'est réveillé en sursaut lorsqu'un roi affolé a surgi dans sa chambre. Depuis déjà quelques jours, sa fille chérie est victime d'un sort qui la fait rire sans arrêt. Il a tout essayé : lui lire des histoires tristes, la priver de ses robes préférées et des visites de ses copines. Rien n'a fonctionné. La princesse rit encore et encore.

Les habitants du château commencent à en avoir assez de cette rigolade incessante. Les invités croient qu'elle se moque d'eux, ce qui n'est pas tellement bon pour la réputation de la famille royale.

Thomas et le roi signent rapidement
le contrat, et le prince part vers le château.
Même de loin, il entend le rire de la princesse.
Un rire de grelots qui tintent sans cesse.

Lorsqu'il franchit le pont-levis, il aperçoit
la princesse. Elle est vêtue d'une longue robe,
et ses cheveux coiffés en mille nattes sont
décorés de rubans. Il la trouve vraiment jolie
et son rire l'envoûte. Il en tombe
immédiatement amoureux.

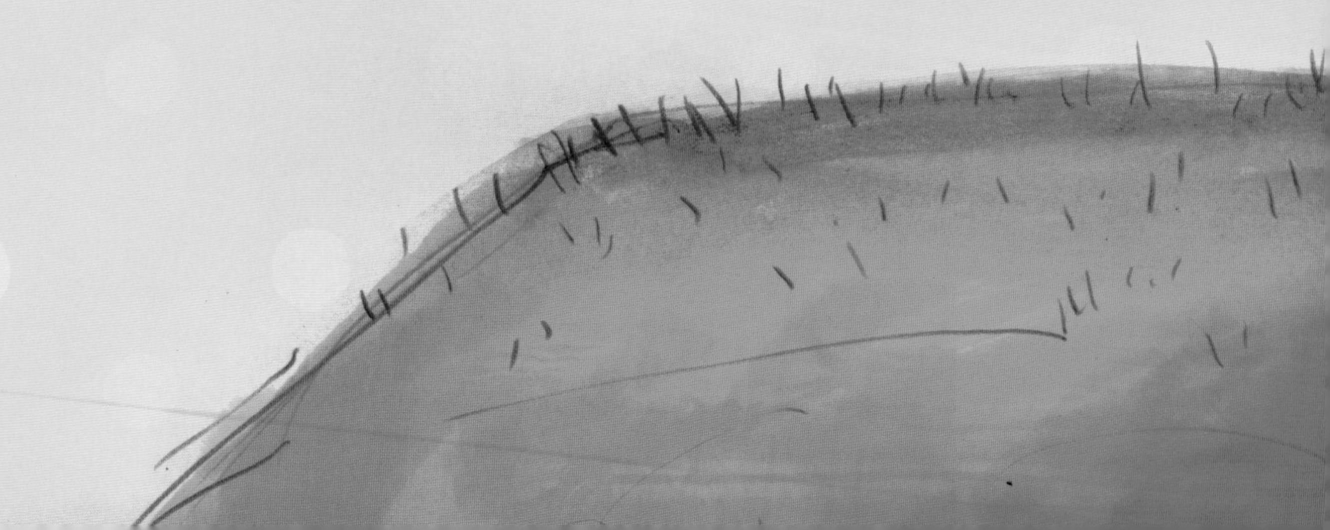

– Bonjour, Princesse, je suis venu
te délivrer de ton mauvais sort.

– C'est gentil, mon Prince, mais bien que
je dérange tout le monde avec mon rire, j'aimerais
beaucoup rester ainsi. C'est agréable de
toujours voir la vie en riant.

Ainsi, Thomas n'a plus personne à sauver.
Le contrat est donc annulé.
Ils se font les yeux doux, un peu gênés.

– J'avoue que j'aimerais beaucoup
passer le reste de ma vie à rire avec vous,
disent-ils en même temps.

Leur amour commence ainsi dans
un grand éclat de rire !

Une journée royale en famille

CÉLÉBREZ EN GRAND EN INVITANT DES AMIS, DES COUSINS OU DES VOISINS.
LA JOURNÉE SE DIVISE EN DEUX PARTIES : LA PRÉPARATION ET LA VIE ROYALE.

La préparation

La couronne

Découpez des bandes de carton assez grandes pour faire le tour de la tête de chacun. Recouvrez les bandes de papier d'aluminium. Découpez des formes spéciales dans vos couronnes et rendez-les magiques en y ajoutant des brillants. Ornez les couronnes de motifs que vous avez bricolés ou, mieux, décorez-les de pâtes alimentaires.

Les armoiries familiales

Trouvez quels éléments et quelles couleurs caractérisent le mieux votre famille. Rassemblez toutes vos idées et utilisez-les pour inventer vos armoiries de famille royale. Dessinez-les sur un grand carton ou faites un écusson.

Préparation du menu royal

C'est le moment de sortir votre plus belle écriture pour rédiger le menu du souper royal. Assurez-vous que tout y est : l'entrée, le plat principal et, surtout, le dessert ! Vous pouvez même changer le nom du repas pour le rendre encore plus spécial ! Par exemple, « Le Grand Chocofolieyoupi » pour un simple gâteau au chocolat !

La métamorphose royale

Il est maintenant temps d'aller vous changer. Robes à froufrous et habits sont de mise. Prenez le temps de bien vous coiffer, et n'oubliez pas de porter la couronne ! À partir de ce moment, il est impératif de précéder chaque prénom par son titre : roi et reine pour les parents, prince et princesse pour les enfants. De plus, assurez-vous d'adopter l'attitude royale par une belle posture, beaucoup de galanterie et un langage impeccable...

La vie royale

La « tague » princesse

Dans le groupe, l'un de vous sera le dragon. Lorsque le dragon touche une personne, elle tombe par terre, endormie. Pour la réveiller, les autres doivent lui donner un bisou sur le pied sans se faire toucher par le dragon !

Souper royal

Vous devez mettre la table avec le plus grand soin : des coupes pour tous, petits et grands, jus de raisin, et plusieurs ustensiles. Choisissez de la musique classique pour l'ambiance et placez des chandelles sur la table.

Le grand bal

Passez au salon, et en avant la musique ! Vous pouvez faire des danses galantes à deux ou placer les garçons en face des filles.

Le spectacle du fou du roi

Installez des rideaux pour fabriquer une scène de spectacle. Chaque membre de la famille royale s'avance tour à tour pour raconter une blague, jongler ou faire des acrobaties... Attention à vos beaux habits !

La course à cheval

Inventez une course d'obstacles qui doit être exécutée à cheval sur un balai, comme un prince qui doit aller sauver sa princesse.